Sur la planète farfelue

Renée Monette
Danielle Trussart

Illustrations : Yvan Vallée

TRÉCARRÉ

Données de catalogage avant publication (Canada)

Monette, R. (Renée)

Sur la planète farfelue

(Collection Contes et bricoles; 9).
Pour enfants.

ISBN 2-89249-249-1

1. Artisanat — Ouvrages pour la jeunesse. 2. Activités dirigées —
Ouvrages pour la jeunesse. 3. Comptines — Ouvrages pour la jeunesse.
4. Vie sur les autres planètes — Ouvrages pour la jeunesse. I. Trussart,
D. (Danielle). II. Vallée, Yvan, 1943-   . III. David, Michelle. IV. Titre.
V. Collection.

TT160.M66   1989   j745.5   C88-096607-6

Musique: Michelle David

Éditeur-conseil: Jean Lemieux

Photocomposition et montage: Ateliers de typographie Collette inc.

ISBN 2-89249-249-1

Dépôt légal — 2e trimestre 1989
Bibliothèque nationale du Québec

Imprimé au Canada

Éditions du Trécarré
2973, rue Sartelon
Saint-Laurent (Québec) Canada
H4R 1E6

TABLE

INTRODUCTION

Sur la planète farfelue est le dernier volume d'une série de neuf ouvrages intitulée « Contes et bricoles ». Cette série s'inscrit dans la ligne de *101 comptines et bricolages* et propose aux enfants à partir de trois ans ainsi qu'à leurs éducateurs neuf thèmes susceptibles de capter l'intérêt des jeunes en stimulant leur potentiel de créativité.

Le bricolage est une source de joie et de satisfaction pour l'enfant. Il lui permet de s'approprier le monde concret et l'incite à élargir son champ d'exploration. Articulée à un centre d'intérêts, l'activité de bricolage devient plus enrichissante encore. Dans ce but, chaque ouvrage comporte d'abord une présentation qui prend la forme d'une histoire suivie d'une chanson. Ces textes tentent de canaliser la curiosité et la fantaisie de l'enfant vers le monde de la découverte.

Ce thème, à l'instar des huit autres, peut être abordé dans son entier avec un groupe d'enfants à la garderie, à l'école ou à domicile. Cependant, la plupart des éléments qui composent le thème traité peuvent s'en détacher pour être fabriqués individuellement.

Nous souhaitons que petits et grands prennent plaisir à parcourir ces pages et que les bricoleurs en herbe y puisent le goût de fabriquer leurs propres jeux.

— Le monde est rond, Quadrillon !

— Non ! je te dis qu'il est carré. C'est pourtant clair, Tourillon ! Devant, derrière et de chaque côté, je vois bien que le monde est carré !

— Mais non ! Quadrillon. Le monde est rond comme un ballon. C'est un cercle, un cerceau, une boule. Viens avec moi jusqu'au rond-point. Tu verras que le monde est rond.

— Pas question, Tourillon ! J'aime avancer en droite ligne. Un, deux, trois, quatre. Viens jouer aux quatre coins sur le carrefour.

— Oh non ! Quadrillon. J'aime mieux faire des bulles de savon puisque le monde est rond.

— Oh ! Tourillon, cesse de tourner en rond ! J'ai raison sur toute la ligne...

— Qu'est-ce qui fait tout ce bruit, Gobe-tout ?

— C'est Quadrillon et Tourillon qui se disputent
comme tous les jours : « Le monde est
rond ! »... « Non ! je te dis qu'il est carré »...
« Rond ! »... « Carré ! »... C'est toujours la
même chose avec ces deux-là, tu le sais bien,
Flaire-tout.

— Rond ou carré, quelle importance
Gobe-tout ? Le monde est fait pour être senti.

Respire cette odeur... Sens-tu le parfum de
l'arbre magique ?

— Tais-toi ! Flaire-tout. Tu dis des sottises.
Flairer, ce n'est pas intéressant. Ce qui compte,
c'est ramasser et avaler. Viens goûter à l'arbre
magique.

— Gobe-tout, tu n'es qu'un glouton. Tu ne
penses qu'à manger. Tu ramasses tout et moi
je n'ai plus rien à sentir. Gourmand !

— Qu'est-ce qui fait tout ce vacarme,
Tourillon ?

— C'est encore Flaire-tout et Gobe-tout qui se
disputent comme tous les jours : « Sentir ! »...
« Non, gober ! »... « Respirer ! »... « Non,
avaler ! »... Ne trouves-tu pas qu'ils sont drôles,
Quadrillon ?

— Oui, Tourillon, ils sont drôles. On peut flairer
et on peut avaler. Ce n'est pas nécessaire de
choisir.

— Comme tu as raison ! Quadrillon. Viens,
faisons une ronde tous les deux.

— Ah non ! Tourillon, tu sais bien que je
déteste tourner en rond. Cela m'étourdit.
Je n'aime pas les tourbillons, les tornades, les
tourniquets, les tourne-disques, les tournesols...

10

Dansons plutôt un quadrille.

— Alors là, pas question, Quadrillon ! Je préfère jouer au ballon.

11

— J'ai une idée, Tourillon. Allons expliquer à Flaire-tout et à Gobe-tout que le monde n'est pas seulement fait pour être senti ou goûté et qu'on peut faire les deux sans aucun problème.

— Excellente idée, Quadrillon ! « Gobe-tout, Flaire-tout, venez ! »

— Bonjour ! Tourillon, bonjour ! Quadrillon. Nous voulions justement vous voir.

— Oui, nous voulions vous dire que vos disputes sont inutiles... explique-leur, Gobe-tout...

— D'accord, Flaire-tout. Écoutez-moi bien. Dans le monde, il y a des ronds et des carrés. Ce n'est pas nécessaire de choisir. Vous avez tous les deux raison. La vie est plus jolie ainsi, n'est-ce pas, Flaire-tout ?

— Certainement ! Gobe-tout.

— Ah ! Vous croyez ? Qu'en penses-tu,
Quadrillon ?

— Je réfléchis, Tourillon. Veux-tu un cube de
fromage ?

— Euh ! d'accord, Quadrillon, mais goûte
d'abord à ma pomme.

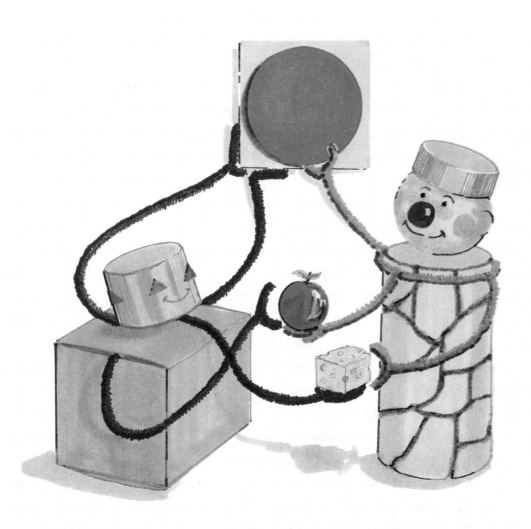

Je parcours le ciel
à dos d'hirondelle.
Un tour d'autobus
ou de voiture,
sur Uranus
et sur Mercure.
Je joue à la balle
sur la planète ovale.

14

Je file dans le vent
sur mon cerf-volant.
Il y a des prunes
et des bonbons,
sur Neptune
et sur Pluton.
Je mange une guimauve
sur la planète mauve.

Je pars en voyage
sur un beau nuage.
Ni blague ni farce,
mais des mystères
sur Vénus, Mars
et Jupiter.
La planète farfelue,
je ne l'ai pas vue.

Je traverse le temps
en tapis volant.
Je dessine des oreilles
à mon Soleil
et une lagune
sur la pleine Lune.
Je reviens sur la Terre
la tête à l'envers.

BRICOLAGES

Les activités de bricolage que nous proposons ici sont simples à réaliser, car elles sont spécialement conçues pour les apprentis créateurs. Le matériel utilisé est généralement emprunté à l'environnement immédiat. Il se compose en grande partie de formes toutes faites (bobines de fil, boîtes, tubes en carton, etc.), éliminant ainsi des manipulations trop complexes. Il est sans danger et peu coûteux puisqu'il s'agit d'objets habituellement destinés à être jetés après emploi.

Le collage

La technique du collage est très utilisée dans cet ouvrage. Pour assembler deux objets, par exemple un tube et une boule en polystyrène, la colle seule ne suffit pas. Du papier essuie-tout préalablement chiffonné et encollé que l'on insère dans le tube permet d'obtenir une plus grande surface adhérente. Le collage ainsi obtenu est plus solide.

Qu'ils soient faits de papier, de tissu, de laine ou de fourrure, les vêtements sont collés à même le corps des personnages. Les plus jeunes enfants peuvent toutefois les habiller avec des bouts de papier déchirés, puis collés, car ce procédé est plus facile.

La colle utilisée est standard : liquide, blanche, à base de vinyle, transparente après séchage et non toxique.

Pour les plus jeunes, certaines opérations nécessiteront l'aide d'un adulte. Par contre, les plus expérimentés pourront à leur guise modifier, enjoliver et complexifier leurs réalisations.

ARBRE MAGIQUE

Matériel

- 1 boîte ronde en carton (jus de fruit surgelé)
- Cure-pipes
- Papier essuie-tout
- Différents objets légers : plume, tissu, laine, dentelle, tampon d'ouate, bâtonnet plat, petite boîte de raisins secs, bille perforée, bouchon de liège, pince à linge, bouton, rigatoni, cône de pin ou de sapin, bobine de fil
- Gouache
- Colle
- Ciseaux

Fabrication

1 Peindre la boîte et certains des petits objets ; laisser sécher.

2 L'arbre
Tailler dans les cure-pipes des branches de longueurs différentes ; les réunir à l'une de leurs extrémités par un cure-pipe.
Enrouler du papier essuie-tout autour de la base des branches, l'encoller et fixer l'arbre au fond de la boîte.

3 Les objets magiques
Fixer un objet au bout de chaque cure-pipe. Il est préférable de placer les objets les plus lourds sur les branches les plus courtes.

FLEUR GÉANTE DE FLAIRE-TOUT

Matériel

- 1 base de récipient à désodorisant en plastique avec tige centrale
- 1 boule en polystyrène de 6 cm de diamètre
- 1 paille en plastique
- 1 éponge
- Cure-pipes
- Papier de bricolage
- Essences alimentaires (vanille, citron, etc.) ou parfum
- Colle
- Ciseaux

Fabrication

1 Les pétales

Tailler quelques cure-pipes en sections de quatre cm de longueur environ.

Déchiqueter l'éponge en fragments avec les doigts.

Percer ces fragments avec la pointe d'un crayon pour y insérer les sections de cure-pipe.

Piquer une extrémité des cure-pipes dans la boule et replier l'autre extrémité sur les fragments d'éponge pour les maintenir en place.

Recouvrir de cette manière toute la boule.

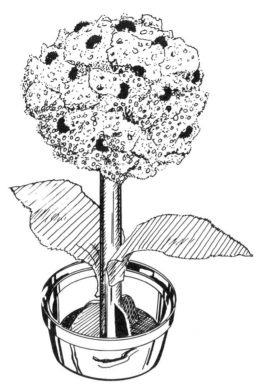

2 La tige
Tailler la paille de manière qu'elle soit un peu plus longue que la tige centrale du récipient.
Piquer une extrémité de la paille dans la boule ; insérer l'autre extrémité dans la tige centrale.

3 Verser quelques gouttes d'essence ou de parfum sur les fragments d'éponge.

4 Les feuilles
Déchirer deux feuilles dans le papier de bricolage ; coller l'une de leurs extrémités sur la tige de la fleur.

21

PLANTE DE GOBE-TOUT

Matériel

- Rigatonis (pâtes alimentaires)
- 4 pailles en plastique
- 1 grosse bobine de fil en plastique
- 1 morceau de polystyrène
- Gouache
- Colle
- Ciseaux

Fabrication

1 Peindre les rigatonis, la bobine et le morceau de polystyrène ; laisser sécher.

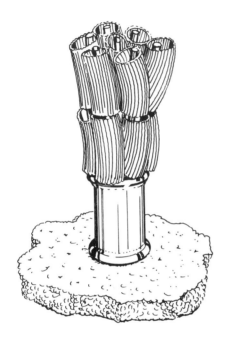

2 Piquer une paille au centre du morceau de polystyrène. Étendre de la colle autour de la paille ; y déposer la bobine préalablement enfilée par le centre sur la paille.

3 Couper en deux les autres pailles et insérer ces moitiés dans les trous de la bobine demeurés libres. Raccourcir la paille centrale à la même longueur que les autres et glisser les rigatonis sur les pailles.

ANIMAL FLAIRE-TOUT

Matériel

- 1 boule en polystyrène
- 1 tube en plastique (crème solaire ou capillaire)
- Cure-pipes
- Plumes
- Gouache
- Colle
- Ciseaux

Fabrication

1 Peindre la boule ; laisser sécher.

2 Le corps
Coller les plumes autour du tube ; laisser sécher.

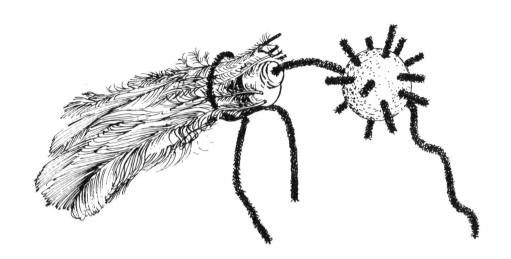

3 Les pattes
Entourer d'un cure-pipe le haut du tube ; réunir les
deux moitiés en les tordant l'une sur l'autre. Les
extrémités formeront les pattes.

4 La tête
Couper un cure-pipe en deux ; piquer l'une des moitiés
dans la boule pour faire le cou. Onduler l'autre bout de
cure-pipe ; le piquer à l'opposé du cou pour faire le
long nez.
Couper des bouts de cure-pipe et les piquer sur la
boule.

5 Assemblage de la tête et du corps
Insérer le cou dans l'orifice du tube. Si celui-ci est trop
large ou si le cou est trop mince, onduler le cure-pipe
pour l'empêcher de glisser hors de l'orifice.

ANIMAL GOBE-TOUT

Matériel

- 1 boîte à œufs en carton comprimé
- 1 grosse bobine de fil
- 4 cure-pipes
- 3 pinces à linge
- Gouache
- Ciseaux

Fabrication

1 Le corps
Dans la boîte à œufs, découper une section de quatre alvéoles et la partie correspondante du couvercle.

2 Peindre la section utilisée et la bobine ; laisser sécher.

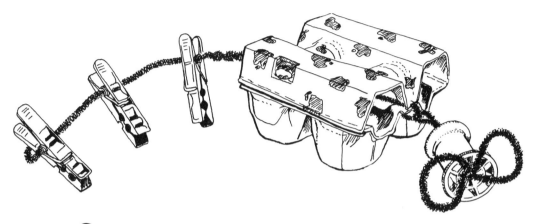

3 La queue

Lier bout à bout deux cure-pipes ; les plier en deux.
Ouvrir la boîte, passer la moitié du long cure-pipe sous
le centre de la boîte et l'autre moitié par-dessus. Réunir
les deux extrémités en les tordant l'une sur l'autre.
À un bout de la boîte, attacher un cure-pipe aux
premiers ; l'enfiler dans le ressort des pinces à linge et
terminer la queue en repliant sur lui-même le bout du
cure-pipe.

4 La tête

Plier un cure-pipe en deux ; du côté opposé à la queue,
passer une des moitiés sous les cure-pipes qui
entourent la boîte. Insérer les deux extrémités du
cure-pipe dans le trou de la bobine ; en laisser libres
quelques centimètres pour le cou, puis tourner le reste
en cercles pour former les yeux.

GROTTE

Matériel

- 1 boîte en carton rigide
- Boîtes à œufs en carton comprimé
- Papier essuie-tout
- Gouache
- Colle
- Ciseaux

Fabrication

1 Les pierres
Découper les alvéoles un à un et par groupes de deux, trois et quatre. Le nombre d'alvéoles est facultatif.

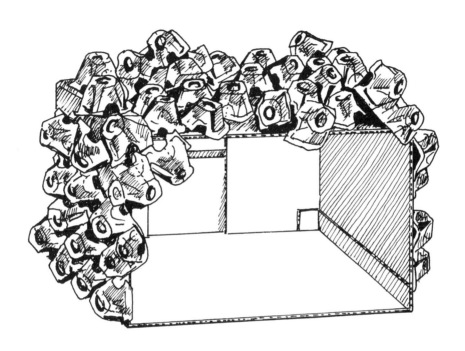

2 Peindre la boîte et les alvéoles ; laisser sécher.

3 La caverne
Chiffonner du papier essuie-tout, en coller à l'intérieur des alvéoles en le laissant dépasser. Encoller le surplus et fixer les alvéoles au-dessus, à l'arrière et sur chaque côté de la boîte. Il n'est pas nécessaire de coller du papier essuie-tout dans chacun des alvéoles soudés par deux, trois ou quatre.

QUADRILLON : PERSONNAGE CUBIQUE

Matériel

- 1 boîte de petits moules à gâteaux en papier
- 1 gros bouchon
- 2 cure-pipes de 30 cm de longueur
- Papier essuie-tout
- 4 gommettes autocollantes
- Gouache
- Colle

Fabrication

1 Peindre la boîte ; laisser sécher.

2 Pose des bras
Placer la boîte rabats vers le haut. Passer un cure-pipe sous le grand rabat, le plier pour qu'il longe deux des parois de la boîte et courber ses extrémités en forme de mains. Coller le second cure-pipe, en croix par rapport au premier, sur le dessus de la boîte et répéter l'opération.

3 Assemblage de la tête et du corps
Chiffonner du papier essuie-tout, le coller à l'intérieur
du bouchon en le laissant dépasser. Encoller le surplus
et fixer la tête au centre de la boîte.

4 Pose des yeux
Coller les gommettes autour de la tête du personnage,
vis-à-vis des coins de la boîte.

Suggestion

On peut aussi découper les yeux dans du papier de bricolage.

VÉHICULE À QUATRE DIRECTIONS

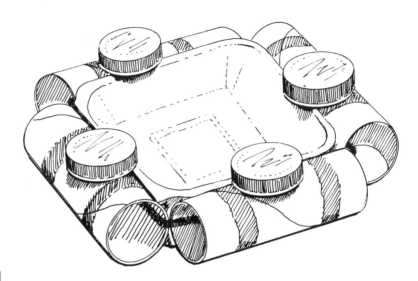

Matériel

- ½ récipient à couvercle en polystyrène (type hamburger)
- 4 bouchons
- 4 tubes en carton (papier hygiénique)
- 2 cure-pipes
- Papier essuie-tout
- Gouache
- Colle

Fabrication

1 Peindre les tubes ; laisser sécher.

2 Les roues

Coller un tube sur chacun des côtés du récipient ; laisser sécher.

Lier deux cure-pipes par une de leurs extrémités ; les enfiler dans les tubes collés autour du récipient. Réunir les extrémités du long cure-pipe en les tordant l'une sur l'autre. De cette manière, les tubes seront solidement fixés au récipient.

3 Les quatre volants

Chiffonner du papier essuie-tout, le coller à l'intérieur de chaque bouchon, encoller à nouveau et fixer un bouchon sur chaque tube.

Remarque

Il vaut mieux ne pas utiliser de peinture sur ce genre de récipient, car elle risque de s'écailler.

TOURILLON :
PERSONNAGE
CIRCULAIRE

Matériel

- 1 tube en plastique de grandeur moyenne (pilules)
- 1 boule en polystyrène de 5 cm de diamètre
- 1 bouchon
- Cure-pipes
- Papier essuie-tout
- Papier de bricolage
- 3 boutons à trous
- Gouache
- Colle
- Ciseaux

Fabrication

1 Peindre la boule ; laisser sécher.

2 Le vêtement
Déchirer de petits morceaux de papier de bricolage et les coller sur le tube.

3 Pose des bras
Couper un cure-pipe en trois. Couper un autre cure-pipe un peu plus long que la circonférence du tube, y fixer les trois sections de cure-pipe et courber leurs extrémités en forme de mains. Attacher le plus long cure-pipe au tube en tordant ses extrémités l'une sur l'autre.

4 Assemblage de la tête et du corps
Chiffonner du papier essuie-tout et le coller à l'intérieur du tube en le laissant dépasser. Encoller le surplus et y fixer la boule.

5 Le chapeau
Chiffonner un peu de papier essuie-tout et le coller au fond du bouchon ; encoller le dessus du papier et fixer le chapeau sur la tête.

6 Pose des yeux
Couper un bout de cure-pipe, le plier en deux, piquer ses extrémités dans les deux trous d'un bouton et ensuite dans la boule, entre deux bras. Répéter l'opération pour les deux autres yeux.

Remarque

Il est préférable de poser le chapeau avant les yeux pour éviter de fixer ceux-ci trop haut.

VÉHICULE ROTATIF

Matériel

- 1 petit pot de yogourt
- 1 grand couvercle (pot à café)
- 1 assiette profonde en carton rigide
- 3 cure-pipes
- Papier essuie-tout
- Papier de soie
- Poinçon
- Gouache
- Colle

Fabrication

1 Peindre l'assiette et le pot ; laisser sécher.

2 L'anse
Percer au poinçon trois trous sur le bord de l'assiette, à intervalles réguliers ; y fixer une des extrémités de chaque cure-pipe. Réunir les trois cure-pipes au haut de l'assiette en les tordant l'un sur l'autre. De cette manière, on peut déplacer le véhicule par rotation.

3 Les phares
Chiffonner de petites boules de papier de soie ; les
coller sur le bord de l'assiette, tout autour du véhicule.

4 La base
Chiffonner du papier essuie-tout, le coller dans le
bouchon en le laissant dépasser. Encoller le surplus et
fixer le bouchon sous l'assiette.

5 La cabine
Déposer le pot dans l'assiette.

HABITATION ORIENTABLE

Matériel

- 3 boîtes à chaussures de même grandeur
- 1 boîte de sachets de tisane
- 2 gros récipients ronds en carton et leurs couvercles (crème glacée)
- Papier essuie-tout
- Gouache
- Colle

Décoration

- Tampons d'ouate, bâtonnets plats, brindilles de paille et papier d'aluminium

Fabrication

1 Peindre les boîtes et les couvercles ; laisser sécher.

2 La cloison
Coller la boîte de sachets de tisane dans le fond d'une boîte à chaussures.

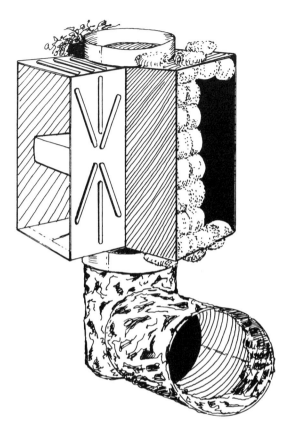

3 Décoration des boîtes
Garnir tout l'intérieur d'une boîte de tampons d'ouate
collés ; en disposer quelques-uns à l'extérieur.
Coller les bâtonnets sur les quatre parois de la
deuxième boîte. Ces bâtonnets ne doivent pas dépasser
puisqu'il faut pouvoir changer l'orientation de la maison.
Coller de la paille sur les parois de la troisième boîte.

4 Décoration des récipients
Couvrir les récipients de papier d'aluminium sauf, pour
faciliter le collage, le fond de l'un d'eux.

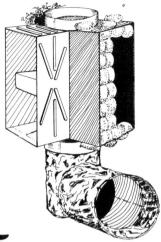

5 L'habitation
Chiffonner des boules de papier essuie-tout, les coller
en les centrant sur toute la longueur du dessous des
boîtes. Encoller à nouveau et poser les trois boîtes à la
verticale en formant un triangle de manière à souder
entre elles les trois rangées de papier.

6 Les couvercles
Encoller les couvercles et fixer ceux-ci au sommet et à
la base de l'habitation. L'un d'eux servira de terrasse.

7 Les pièces circulaires
Encoller l'intérieur d'un des couvercles et y fixer le
récipient dont le fond n'est pas recouvert. Pour plus
d'adhérence, déposer un poids dans le récipient
pendant le séchage. L'autre récipient tiendra lieu de
pièce amovible.

Remarque

Il est nécessaire d'utiliser des récipients et des couvercles en
carton parce qu'ils sont plus faciles à coller.